U0226530

目錄

當今世界上最大的水利樞紐工程

宏偉的三峽工程

黄河水利出版社

序

　　世界上，没有哪一條江河，能够像長江三峽這樣，擁有長達200公里的山水畫廊，擁有7 000年的文化積澱。在没修三峽工程之前，説到三峽，人們就會想到李白筆下"朝辭白帝彩雲間，千里江陵一日還。兩岸猿聲啼不住，輕舟已過萬重山"的千古絶唱。今天，再説到長江三峽，人們就會想到毛澤東"更立西江石壁，截斷巫山雲雨，高峽出平湖。神女應無恙，當驚世界殊"的著名詩句。修建宏偉的三峽工程，改造三峽河段的天然航道，開發長江三峽水力資源，造福中國人民，是中國幾代領導人和水利專家的夢想。隨着三峽工程的建成，夢想變成了現實。

　　2003年6月1日，三峽工程正式下閘蓄水；6月16日，雙綫五級船閘試通航成功；6月24日，水電站首臺水力發電機組——2號機組正式並網發電，從此以後，三峽工程就開始按照它的設計功能發揮出巨大的綜合效益。水庫巨大的防洪庫容管住了長江上游來的洪水，使它不再無拘無束地肆虐長江中下游人民。從那時起，滔滔的長江之水在流過三峽的時候，化作了巨大的電力，不分晝夜地爲中國的現代化建設提供能源。從那時起，三峽航道已不再有兇險急流，也不再是長江航運的"腸梗阻"了，取而代之的是三峽庫區平湖千里，萬噸輪船可以從上海直航重慶港，長江航運成爲名副其實的黃金水道。

　　放眼世界，從三峽工程開工到三峽大壩下閘蓄水，在實現高峽出平湖的日子裏，世界上恐怕再也没有第二個工程能像三峽工程那樣讓全中國人民牽掛、讓全世界人民關注了。原因有兩個，一方面是三峽工程有着巨大的防洪、發電、航運等綜合效益；另一方面是因爲三峽工程投資巨大，牽涉到的問題太多。你可以想一想，在地質複雜的巫山斷裂帶，人爲地造成一個393億立方米的巨大水體，它淹没了三峽中175米水位綫以下大自然鬼斧神工的杰作，淹没了175米水位綫以下中華文明的足跡，淹没了三峽庫區中的2座城市、11座縣城、1 711個村莊，使庫區上百萬人移往他鄉。

　　總之，從三峽工程鏟動第一塊花崗岩基石起到今天三峽工程已發揮出巨大的綜合效益，這得與失、損與益、福與禍就纏繞在一起了。三峽，它的過去、現在和將來，都注定與我們每一個中國人休戚相關。

面對如此浩大的工程，判斷將超出我們的能力，而記錄正是我們的責任。在三峽發生從河到湖的巨大變遷的臨界點上，我們進入，我們記錄，我們見證。即將消失的，我們留下了它們的身影；正在發生的，我們記下了它們的過程；將要發生的，我們與所有的讀者共同期待並且深深祝福。本書以圖文並茂的形式，向你展示我們的記錄，帶你走進宏偉的三峽工程，向你介紹三峽工程對三峽自然風光、文物古迹的影響。我們深知，世界聞名的三峽工程和三峽的滄桑巨變，遠非幾許文字和幾張圖片所能表現的。真要感受三峽工程之宏偉和三峽之美，還須遊人親身去領略和感悟。雖然我們也做了極大努力，終因水平有限，錯誤和不足之處在所難免，敬請各位讀者提出寶貴意見，以便再版時訂正。

編者謹將此書獻給那些幫助過本書出版的朋友們：
獻給偉大的三峽工程建設者；
獻給那些三峽庫區中背井離鄉的移民；
獻給那些熱愛和關心三峽的中外朋友；
獻給那些給三峽留下了千古絕唱的文人墨客；
獻給那些將文明的火種帶入古老的三峽的先民們；
獻給宏偉的三峽工程；
獻給永恒的三峽。

李金龍
2005.03.26 宜昌

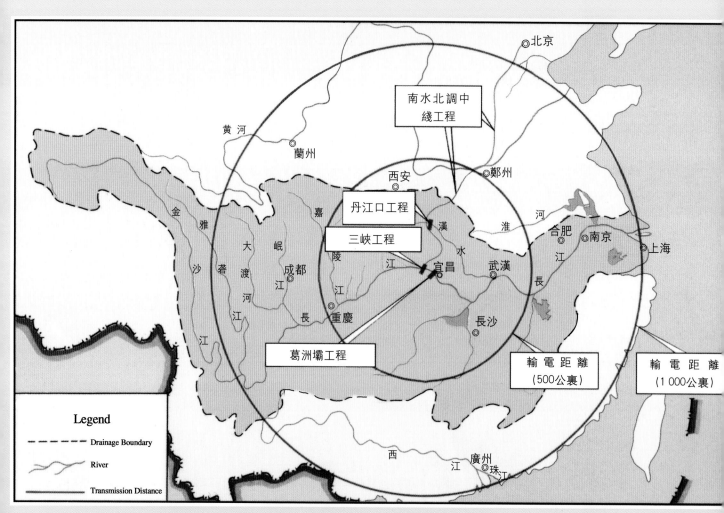

長江三峽水利樞紐工程輸電範圍示意圖

三峡工程坝址——中堡岛

世界上最大的水利樞紐工程

"更立西江石壁，截斷巫山雲雨，高峽出平湖。"

銀壩生輝

高峡出平湖

蓄水的後三峽庫區

水調歌頭
游泳

才飲長沙水，
又食武昌魚。
萬裏長江橫渡，
極目楚天舒。
不管風吹浪打，
勝似閑庭信步，
今日得寬餘。
子在川上曰：
逝者如斯夫！

風檣動，
龜蛇靜，
起宏圖。
一橋飛架南北，
天塹變通途。
更立西江石壁，
截斷巫山雲雨，
高峽出平湖。
神女應無恙，
當驚世界殊。

毛澤東詞
一九五六年七月

萬裏長江滾滾流，流的都是煤和油。自從三峽修電站，長江不再空自流。

水调歌头
游泳

才饮长沙水，又食武昌鱼。万里长江横渡，极目楚天舒。不管风吹浪打，胜似闲庭信步，今日得宽馀。子在川上曰：逝者如斯夫！

风樯动，龟蛇静，起宏图。一桥飞架南北，天堑变通途。更立西江石壁，截断巫山云雨，高峡出平湖。神女应无恙，当惊世界殊。

毛泽东

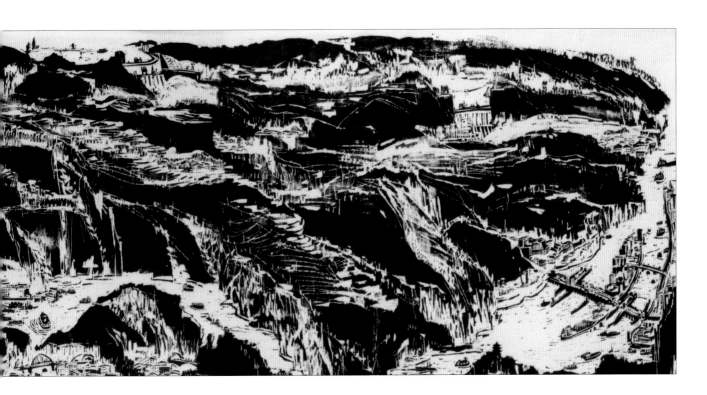

湖光壩影——初期蓄水後的三峽水利樞紐

宏偉的三峽工程

在長江三峽的西陵峽河段上，矗立着一座雄偉的銀色大壩。它是長江三峽水利樞紐工程。三峽工程的建成，是人類改造、利用自然的又一偉大壯舉。1919年，孫中山先生最早提出開發長江三峽水利資源的設想；1956年，毛澤東寫下"更立西江石壁，截斷巫山雲雨，高峽出平湖。神女應無恙，當驚世界殊"的詩句，描繪了三峽的宏偉藍圖；1992年4月3日，全國人民代表大會通過了《關于興建長江三峽工程的決議》；1994年11月8日，三峽工程正式開工；2003年6月，宏偉的藍圖初步實現，三峽工程實現下閘蓄水、大壩通航、首批機組並網發電，長江三峽發生了從河到湖的巨大變遷，全部工程將於2009年竣工。

三峽工程是當今世界上規模最大的水利樞紐工程。主要建築物有攔河大壩、水電站、泄洪閘、通航建築物等。攔河大壩總長2 335米，底部寬115米，頂部寬40米，壩頂高程185米；通航建築物包括雙綫五級船閘和垂直升船機。雙綫五級船閘被稱爲長江第四峽，它完全是在花崗岩山體中開挖出來的一條長6 442米、深176米的深槽，然後在這個深槽中修築的五級船閘，它是當今世界上級數最多，總水頭（113米）最高的內河船閘。垂直升船機運行時承船廂總重達11 800噸；電站安裝水力發電機32臺，單機容量均爲70萬千瓦，總裝機容量爲2 240萬千瓦。三峽工程主要工程量爲：石方開挖量10 283萬立方米，土石方填築3 198萬立方米，混凝土澆築2 794萬立方米，鋼筋46.30萬噸，金屬結構2 5.65萬噸。而且施工強度非常大，主體工程最大的年澆築值曾達到548萬立方米，最大年開挖強度達3 000多萬立方米，最大年填築強度達280萬立方米，這些都創下了世界記錄。

三峽工程是開發、治理長江的關鍵性工程，它有着巨大的防洪、發電、航運等綜合效益，是一項造福今人、澤被子孫的千秋功業。三峽水庫總庫容393億立方米，最大庫容超過洞庭湖現存水量的兩倍，其中防洪庫容爲221.5億立方米，可以有效地控制長江上游來的洪水向中下游宣泄，將荊江河段的防洪標準由目前的不足十年一遇提高到百年一遇。"萬裏長江滾滾流，流的都是煤和油"，在三峽水電站發電以前，長江三峽蘊藏着豐富的水力資源一直是白白地流失。三峽水電站年發電量達1 000多億千瓦時；與此發電量相當的燃煤電站相比較，每年可以節約5 000多萬噸原煤，可減少排放1.2億噸二氧化碳、200多萬噸二氧化硫、1萬多噸一氧化碳、37萬噸氮氧化物，以及大量的廢水和廢渣。這對於改善華東和華中地區的環境，特別是防止酸雨危害和溫室效應，將起到非常積極的作用。這廉價、清潔的巨大電能將不分晝夜地爲中國的現代化建設提供動力，造福人民。

宏伟的三峡工程

三峽工程主要指標

項目名稱	單位	指標	項目名稱	單位	指標
水庫					
正常蓄水位	m	175	防洪限制水位	m	145
枯季消落低水位	m	155	千年一遇洪水位	m	175
總庫容 （175m水位以下）	m^3	393×10^8	防洪庫容	m^3	221.5×10^8
興利調節庫容	m^3	165×10^8	枯水期調節流量	m^3	5 860
改善長期航道裏程	km	660	壩上流域面積	km^2	100×10^4
淹没陸地總面積	km^2	632	水庫庫面面積	km^2	1084
主要建築物及設備					
大壩類型		混凝土重力壩	壩頂高程	m	185
水電站形式		壩后	最大壩高	m	175
裝機容量	kW	$1\,820 \times 10^4$	裝機臺數	臺	26
右岸地下電站 裝機容量	kW	420×10^4	裝機臺數	臺	6
單機容量	kW	70×10^4	年發電量	kWh	847×10^8
永久通航船閘		雙線五級梯級船閘	每個閘室有效尺寸	m	$280 \times 34 \times 5$
垂直升船機		單線單級	承船廂有效尺寸	m	$120 \times 18 \times 3.5$
水庫淹没					
淹没耕地	hm^2	2.10×10^4	淹没柑橘地	hm^2	0.73×10^4
淹没區人口 （1992年初指標）	人	84.62×10^4	規劃安置移民總數	人	113×10^4
工程施工					
土石方開挖	m^3	$10\,259 \times 10^4$	土石方填築	m^3	$2\,933 \times 10^4$
混凝土澆築	m^3	$2\,715 \times 10^4$	鋼筋	t	35.43×10^4
金屬結構安裝	t	28.08×10^4	總工期	年	17

注：本表未計算右岸山體内地下電站的 $70 \times 10^4 kW \times 6$ 臺的裝機容量及年發電量。

三峽水利樞紐工程

三峽工程和世界巨型水電站比較

國家	水電站名稱	所在河流	裝機容量 (10^4kW)	年發電量 (10^8kWh)	最大水頭 (m)	開始發電 年份
中國	三峽	長江	1 820	847	113	2003
巴西、巴拉圭	伊泰普	巴拉圭河	1 260	710	123	1984
美國	大古力	哥倫比亞河	1 083	203	108	1942
委內瑞拉	古力	卡羅尼河	1 030	510	146	1968
巴西	圖庫魯伊	托坎廷斯河	800	324	68	1984
俄羅斯	薩揚舒申斯克	葉尼塞河	640	237	220	1978
俄羅斯	克拉斯諾雅爾斯克	葉尼塞河	600	204	100.5	1968
加拿大	拉格蘭德二級	拉格蘭德河	533	358	143	1979
加拿大	丘吉爾瀑布	丘吉爾河	523	345	322	1971

工程壩址

　　三峽工程壩址選定在湖北省宜昌市三鬥坪。壩址控制流域面積100萬平方公里，年平均徑流量4 510億立方米。

　　三峽工程壩址是世界上修建水電站最好的壩址。整個三峽地區幾乎是清一色的沈積岩，唯獨在三鬥坪附近形成一塊長70公里、寬僅30公里的花崗岩體，被水利專家稱爲“大地母親爲三峽工程埋下的奠基石”。

　　在壩址三鬥坪處，河穀寬闊，便於分期施工，更爲有利的是有一個江中天然小島——中堡島。它順江而立，將長江天然地分成900米寬的大江和300米寬的後河兩部分，三峽工程的縱向圍堰軸綫就在順河勢的中堡島上。工程施工利用了這一天然的有利地形，不僅帶來了極大的便利，而且節約了大量的資金。

　　樞紐建築物基礎爲堅硬完整的花崗岩體，岩石抗壓強度約100兆帕。岩體內斷層、裂隙不發育，且大多膠結良好，透水性微弱，是修建混凝土高壩的優良地質條件。兩岸山體岩石風化殼較厚，一般在20～40米，主河槽則幾乎無風化層。壩址上下游15公里範圍內，無大的不良地質構造。壩址區及水庫區地震活動強度小、頻度低，屬弱地震環境。經國家權威部門多次鑒定，壩址區地震基本強度爲Ⅵ度，樞紐主要建築物按Ⅶ度設防。

　　三峽壩址下游還有38公里峽穀河段，爲充分發揮三

峽工程的防洪、發電、通航和水利資源，其三峽壩址以下損失的通航發電效益，由下游的葛洲壩工程給予補償。

　　三峽工程具有較好的外部交通條件。宜昌鐵路四通八達，長江水運可直達壩區。工程開工後，修建了宜昌至三峽工地長約26公里的準一級公路及壩下4公里的跨江大橋——西陵長江大橋。1996年10月均已通車，在壩區還修建了一批碼頭。

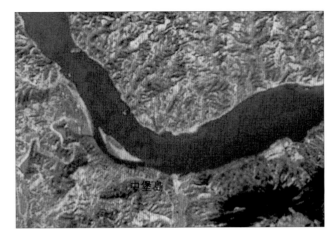

三峽工程壩址——中堡島

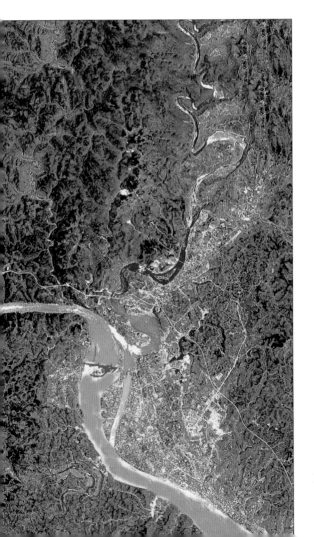

三峽工程地理示意圖

天柱山隧道

西陵長江大橋

蓮沱大橋

　　三峽工程專用公路建於1994年，1996年10月正式通車，單綫全長28.6公里，橋梁隧道占40%，含橋梁34座，雙綫隧道5座，僅木魚槽隧道單綫就長達3 610米。三峽工程專用公路堪稱是中國橋梁、隧道的博物館。

樞紐佈置

三峽水利樞紐工程主要建築物由攔河大壩、水電站、通航建築物等三大部分組成。總體佈置方案爲：

攔河大壩爲混凝土重力壩，大壩總長2 335米，底部寬115米，頂部寬40米，壩頂高程185米。

泄洪壩段位於河床中部，即原主河槽部位，長483米，壩體中設有22個泄流表孔和23個深孔，深孔尺寸7米×9米，進水口孔底高程90米；表孔净寬8米；三峽工程最大泄水能力可達102 500立方米每秒，可以宣泄可能出現的最大洪水。

水電站位於泄洪壩段兩側，采用壩後式，共設左、右岸兩座廠房。其中左岸廠房裝機14臺，右岸廠房裝機12臺。水輪機爲混流式（法蘭西斯式），單機額定容量均爲70萬千瓦。除左右岸壩後水電站外，右岸山體内還安裝有6臺70萬千瓦的發電機。三峽水電站共安裝32臺水輪發電機。

通航建築物包括雙綫五級船閘和垂直升船機以及上下游航道等，均建在左岸山體内。雙綫五級船閘是當今世界上級數最多、總水頭最高的内河船閘，也是規模最大、技術最複雜的船閘。每級閘室的有效尺寸爲280米×34米×5米（長×寬×欄上最小水深），可通過萬噸級的大型客貨輪船隊。

垂直升船機位於雙綫五級船閘右側。爲單綫一級垂直提升式，承船厢有效尺寸120米×18米×3.5米，一次可通過一條3 000噸級的客貨輪。承船厢運行時總重量爲11 800噸。其最大升降高度113米，也是當今世界上規模最大、難度最高的升船機。

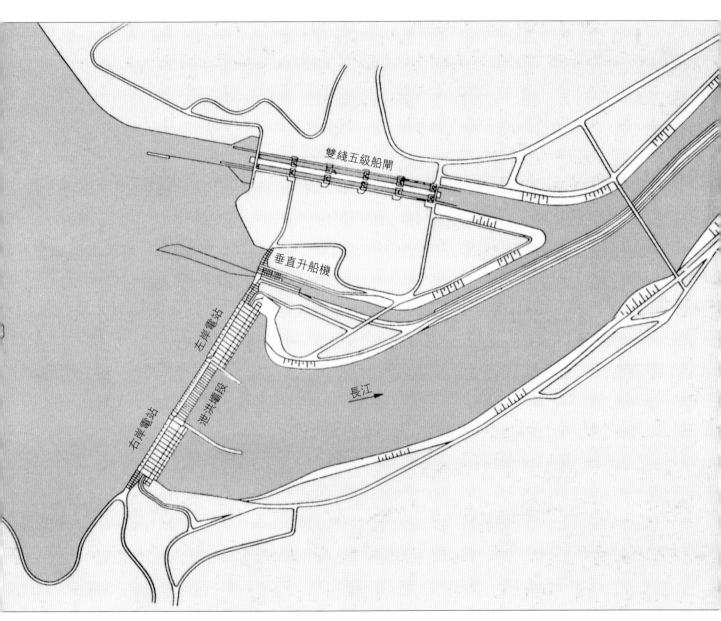

雙綫五級船閘

垂直升船機

右岸電站

左岸電站

泄洪壩段

長江

三峽工程樞紐佈置示意圖

世界上最大的水利樞紐工程

三峽工程原始地貌圖

工程建設

　　三峽工程采用"一級開發、一次建成、分期蓄水、連續移民"的建設方案。工程分三個階段施工，總工期17年。

第一階段

　　第一階段：　1993年開工後，一期工程是先填築一期土石圍堰，以中堡島爲縱向圍堰把後河圍護起來，形成一期基坑，開挖至新鮮花崗石，修建混凝土導流通航明渠。導流通航明渠和臨時船閘竣工後，又拆除一期圍堰，1997年11月8日，三峽工程大江截流成功。

階段

第二階段：1998年開始填築二期土石圍堰後，澆築混凝土重力壩的泄洪壩段，左岸電廠、左岸非溢流壩段等，澆築水電站廠房，安裝首批水輪發電機。同時修建左岸永久船閘。二期工程施工期間，過往船舶從導流明渠或臨時船閘中航行。2003年初，三峽大壩雄姿初現。2003年6月1日，三峽工程下閘蓄水；6月16日，三峽工程雙綫五級船閘試通航成功；6月24日，三峽工程首臺水力發電機組 — 2號機組與華中電網並網調試取得成功。

階段

第三階段：三期工程2004～2009年。在2004年年底三峽左岸大壩長1 600米，已全部完工，右岸三期工程達到105米高程，2006年10月整個大壩全長2 309米，全綫達到設計高程185米；三期工程包括安裝右岸電廠的12臺發電機和右岸山體中的6臺發電機，2009年全部工程竣工。

2008.12

建設中的三峽

建設中的三峽

建設中的三峽
◄

建設中的三峽

工地不夜天

基礎施工

截流

導流明渠長3 700米、寬350米，在三峽工程二期施工階段，它承擔了長江通航和行洪的任務。2002年11月6日，導流明渠截流成功，在其基礎上修建三峽工程右岸電站。

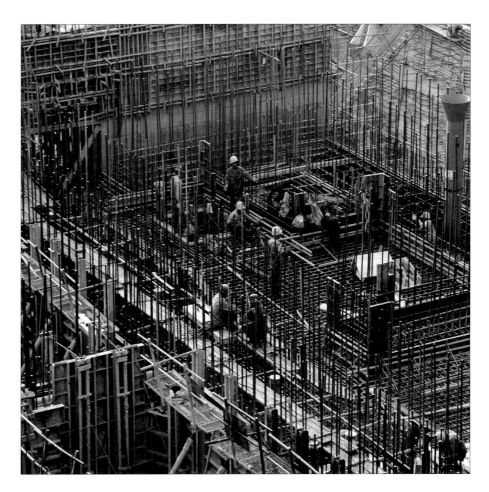

建設中的三峽工程

建設中的三峽工地之夜

防洪

防洪是興建三峽工程主要的目標。長江流域降水具有季風氣候的特徵，每年6～9月汛期徑流量佔到全年徑流量的70％～75％。據歷史記載，自漢高後三年（公元前185年）至清代末年（1911年）的2096年間，長江曾發生大小水災214次，平均每10年1次。而近代自1921年以來，發生較大水災11次，約6年1次，頻繁發生的洪災威脅着洞庭湖區和江漢平原150多萬公頃耕地，1 500萬人民生命財産的安全以及京廣、京九鐵路大動脈的安全。

造成長江中下游洪水災害的洪水有三種情況：第一種是全流域性的洪水；第二種是長江上游來的洪水，由金沙江、岷江、沱江、嘉陵江、烏江以及三峽工程以上區域持續暴雨形成；第三種是長江中下游形成的洪水。多年的實測數據證明，無論哪種類型的洪水，宜昌以上即長江上游來的洪水量都是長江中下游洪水的主要成分。

三峽工程是長江中下游防洪體系中的關鍵性骨幹工程，三峽工程正常蓄水位175米，相應總庫容393億立方米，在每年的洪水季節，根據防洪需要，三峽工程可以將水位從正常蓄水位175米降到防洪水位145米運行，騰出221.5億立方米的庫容，來攔蓄長江上游來的洪水中超出長江中下游安全泄洪的部分。采用"削峰滯蓄"的方式，使洪峰通過大壩後，峰值降低約30％，從而有效地控制長江向中下游宣泄的洪水。

經三峽水庫調蓄，荊江河段的防洪標準可由目前的不足十年一遇提高到百年一遇，如遇幾千年一遇或歷史上曾經發生過的1870年特大洪水，三峽水庫也可以配合荊江分洪等分蓄洪工程的運用，可防止荊江河段兩岸發生幹堤潰決的毀滅性災害，減輕長江中下游的損失和對武漢市的威脅，並可避免因洪水淹没和分洪帶來的環境惡化、疾病流行（包括血吸蟲病）等社會問題。同時，將極大地提高整個長江中下游防洪調度的可靠性和機動性，並可爲洞庭湖區的治理創造條件。

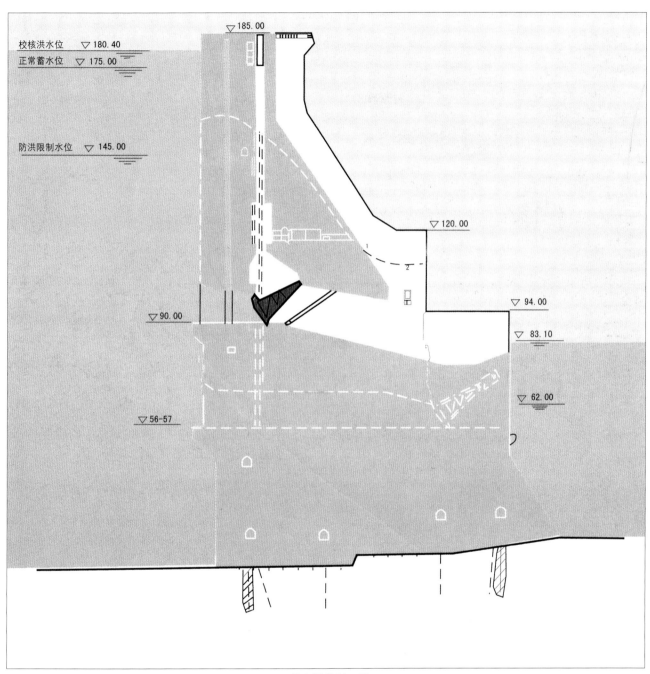

校核洪水位　▽ 180.40
正常蓄水位　▽ 175.00

防洪限制水位　▽ 145.00

▽ 185.00

▽ 120.00

▽ 94.00

▽ 83.10

▽ 90.00

▽ 62.00

▽ 56-57

溢流壩段剖面圖

三峡工程泄洪

三峡工程泄洪

發 電

　　三峽水電站是目前世界上最大的水電站。水電站廠房位於壩後，左岸和右岸電廠分佈在泄洪壩段兩側，合計總長1 210米。左岸廠房長643米，裝機14臺，右岸廠房長576米，裝機12臺，共裝機26臺。單臺機組容量均為70萬千瓦，總裝機容量為1 820萬千瓦，年發電量為847億千瓦時。其發電能力相當於6個葛洲壩水電站或10個大亞灣核電站。

　　三峽大壩右岸山體內安裝6臺地下發電機，單機容量也均為70萬千瓦，總容量420萬千瓦。其進水口將與工程同步建成。僅地下發電機組就相當於1.5個葛洲壩工程。

　　三峽水電站共安裝32臺發電機，單機容量位於世界上最大的發電機之列。因為防洪和排沙的需要，三峽水庫在汛期需將正常水位175米降到防洪水位145米運行，故其運行時進水的水頭要根據上下游水位的變化而變化。最大變幅達52米，水輪發電機組在如此巨大的水位變幅條件下運行，其設計、製造和運行都超過了當前世界上已有的任何大型發電機組。

　　從環境保護的角度講，生產1 000億千瓦時的電量需要燃燒5 000多萬噸的原煤。這就意味着三峽工程每年可節約5 000多萬噸原煤，同時可少排放二氧化碳1.2億噸、二氧化硫200多萬噸、氮氧化物37萬噸、一氧化碳1萬多噸以及大量的廢水和廢渣。三峽水電站是取之不盡的清潔能源。

　　三峽輸變電工程是三峽工程的一個重要組成部分。三峽電站位於我國腹地，與我國的華北、華東、華中、華南、川東的負荷中心相距500～1 000公里，在經濟送電範圍之內，三峽電站發出的電能通過15回500千伏的輸電綫路送往祖國各地。

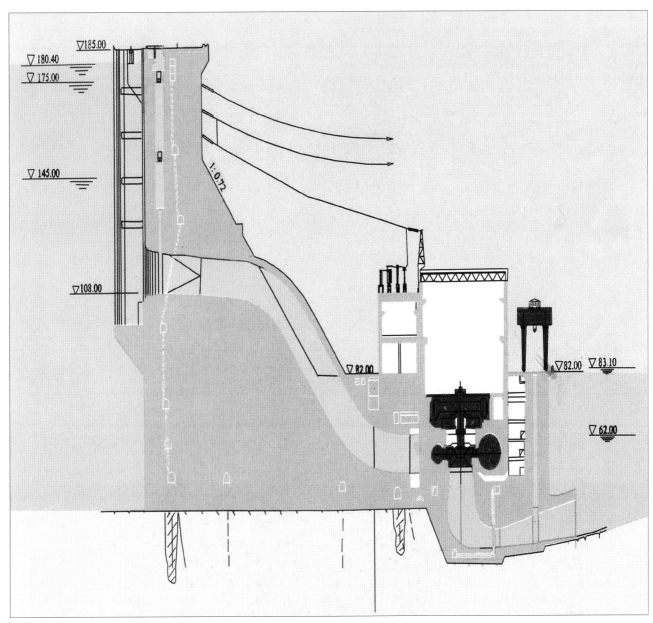

廠房壩段剖面圖

水輪發電機機組安裝

左岸壓力鋼管蝸殼安裝

龐大的水輪機轉輪通過輪船運抵三峽工程

左岸水力發電廠引水管

發電機蝸殼

◄
三期工程施工

電站集控室

◄
左岸水力發電廠發電機組

電力外送

電力外送

航 運

　　長江素有"黃金水道"之稱，這種稱號在三峽工程蓄水以前也許是同世界上其他河流比較而言吧！

　　在三峽工程蓄水以前，重慶至宜昌的660公里原始的川江河道，地勢陡峻，江流湍急，雄偉險峻的長江三峽即在此段，航行條件極為複雜艱難，原有急流險灘139處，絞灘站25處，單行航段46處，還有幾處不能夜航。自古就有"蜀道難，難於上青天"之喻，其中所謂的難也包含了水運。1981年，葛洲壩水電站截流擋水，在葛洲壩處擡高水位20餘米，回水100公里，淹没了30餘處險灘，還有550多公里的川江航道仍然處於天然狀態。那時候川江航道祇能通航1 000噸以下的小船。中游荆江河段在每年枯水期，因流量較小，水深較淺，故只能通航1 000噸以下的小船。這對長江 "黃金水道"之稱可真有點名不副實。

　　改善長江航運是修建三峽工程的目的之一。三峽水庫攔蓄出一個全長660公里的水庫，平均寬度為1.1公里，水庫總面積為1 084平方公里。川江運輸的船舶拖載效率得到了極大的提高，上行船舶耗油量可減少30倍。由於流速減小，又可以全綫夜航，航行時間大為縮短，航運成本降低35%～37%。萬噸級的船隊可由上海直達重慶，長江航運徹底改善。通過三峽水庫的調節，枯水期宜昌下游最小流量從現狀的3 000立方米每秒加大到5 000立方米每秒以上，使長江中下游枯水季航運條件也有較大的改善，使長江成為名副其實的"黃金水道"。

　　三峽工程通航建築物是解決長江航運中輪船如何通過三峽大壩的設施。三峽大壩上游最高水位為175米，下游最低水位為62米，上下游水位相差113米，三峽永久船閘采用了五個梯級來分解這113米落差。即每條綫都由5個閘室、輸水系統、泄水系統以及閘門等基本單元構成的船閘，在工作時，每一個船閘的進水系統和上游水體相通，能把上游的水引到閘室裏，使閘室水位與上游水位齊平；而其泄水系統與下游水體相通，能把閘室的水泄向下游，使閘室水位與下游水位齊平。這樣，根據需要，船舶在封閉的閘室內隨着水位的升降而平穩地升降，即可往返於大壩上下游之間。輪船通過三峽五級船閘過壩總耗時約為160分鐘；需要快速過壩的客輪，可通過垂直升船機過壩。垂直升船機好似一座大型水上電梯，一次可通過一條3 000噸級的客貨輪船，可以在30分鐘內實現一次快速升降，其最大升降高度113米，也是當今世界上規模最大、難度最高的升船機。

雙綫五級船閘

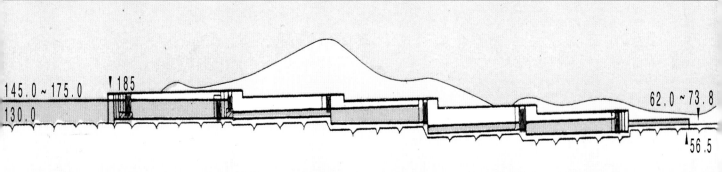

雙綫五級船閘右側剖面示意圖

145.0~175.0
▼185
130.0

62.0~73.8

▲56.5

◀

三峽水利樞紐蓄水後，宜昌至重慶660公里的長江航道已成爲黃金水道

垂直升船機好似一座大型水上電梯，一次可通過一條
3 000噸級的客貨輪船，可以在30分鐘內實現一次快速
升降，其最大升降高度113米，也是當今世界上規模最
大、難度最高的升船機。

升船機剖面示意圖

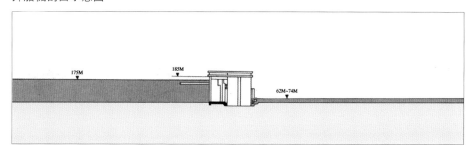

垂直升船機

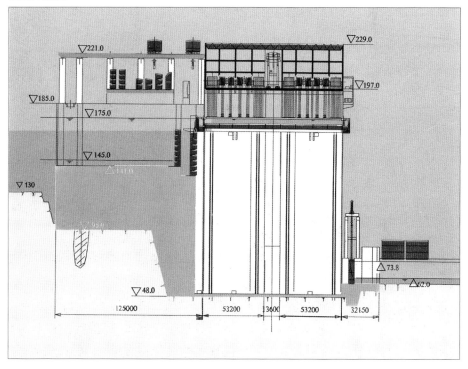

百萬移民

　　三峽水庫移民安置數量巨大，任務艱巨。移民搬遷安置是比三峽壩體工程建設更爲困難的問題，也是三峽工程成敗的關鍵。

　　三峽水庫將淹没陸地面積632平方公里，涉及湖北省、重慶市的20個縣（市）。依據1991年10月至1992年6月長江水利委員會會同川、鄂兩省及庫區各級人民政府按水庫蓄水和回水綫打樁定綫，逐村挨户進行了實際調查、丈量和統計。三峽水庫淹没涉及城市2座、縣城11座、集鎮116個；受淹没或受淹没影響的工礦企業1599家（其中大型6家，中型26家）；水庫淹没綫以下共有耕地2.46萬公頃（其中農耕地1.72萬公頃，園地0.74萬公頃）；淹没公路824.25公里；淹没的水電站裝機爲9.22萬千瓦；淹没區房屋總面積爲3 459.6萬平方米；淹没區居住的總人口爲84.41萬（其中農業人口36.15萬）。考慮到建設期的人口增長和二次搬遷等其他因素，三峽水庫移民安置的總人口將達113萬。

　　國家爲了確保三峽移民的順利實施，批准了相當於三峽工程總投資45％的移民經費。“經國家正式批准的三峽工程初步設計的静態投資（1993年5月末，不包括物價上漲及施工貸款利息）爲900.9億圓。其中樞紐工程投資500.9億圓，水庫淹没處理及移民安置費用400億圓”。國家還確定三峽工程建成後，從發電利潤中提取庫區建設基金，繼續幫助庫區移民發展經濟。

　　在中共中央制定的一系列方針政策中，最重要的是開發性移民的政策。按照這一政策，移民搬遷不是簡單地按經濟賠償的辦法處理，而需對移民搬遷後的生產和生活全面負責安排，不僅確保移民搬遷後的生活水平不低於搬遷之前，並儘可能爲今後生活進一步提高創造條件。這是確保三峽水庫順利移民的根本保證。

秭歸縣城搬遷

壩上第一縣（秭歸新縣城）

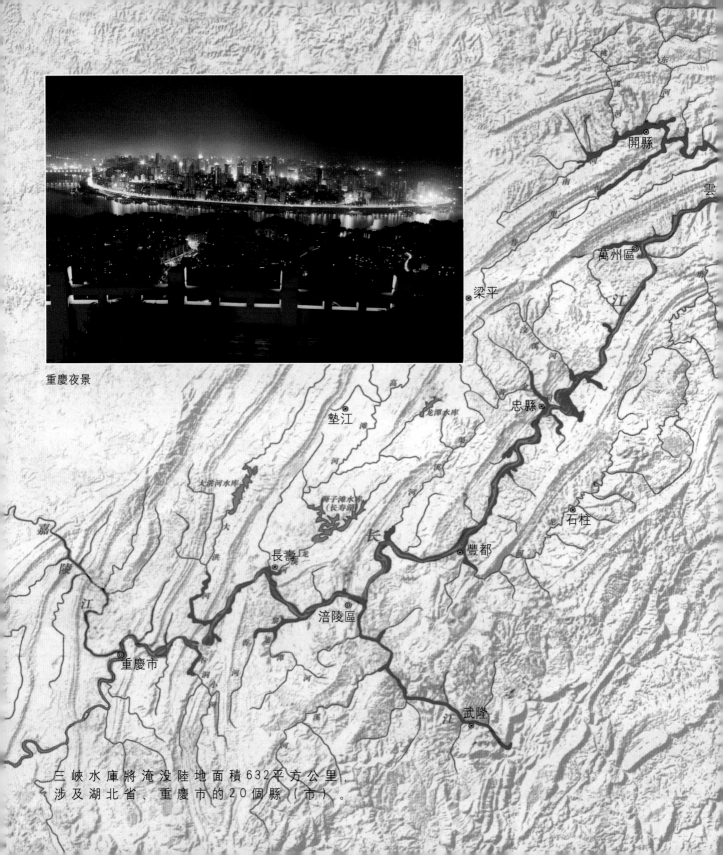

重慶夜景

開縣

雲

萬州區

江

梁平

忠縣

墊江

龙潭水庫

石柱

大洪河水庫

獅子灘水庫
(长寿湖)

長

嘉

長壽

豐都

陵

涪陵區

江

重慶市

武隆

江

三峽水庫將淹没陸地面積632平方公里，
涉及湖北省、重慶市的20個縣（市）。

巫溪

興山

巫山

奉節

巴東

秭歸　　三峽水利樞紐

葛洲壩水利樞紐

宜昌

水電之都——宜昌市

巫山雙龍鎮拆遷

帶走家鄉一罐土

▲
西陵峽古民居拆遷

75

泥沙淤積

關於水庫泥沙問題是世界性的水庫建設難題，三峽工程也不例外。長江是一條多泥沙的河流，建三峽工程前，在其幹流宜昌水文站測得的多年平均含沙量爲1.19千克每立方米，三峽水庫年平均入庫泥沙量達5.3億噸，如泥沙問題處理不好，不僅會影響水庫正常效益的發揮，縮短水庫使用壽命，而且要影響長江這一黄金水道的通航。

采用"蓄清排渾"的運行方式來處理泥沙淤積問題。三峽水庫長度660公里，平均寬度僅1.1公里，是河道型水庫；三峽大壩設有23個低高程（90米）、大尺寸（7米×9米）的泄洪深孔，同時汛期將水庫水位維持在145米，這極其有利於三峽水庫 "蓄清排渾"方式的運用。在多水多沙的汛期6～9月，上游來水量占全年的61％，輸沙量占全年的84％，水庫水位降低到145米（防洪限制水位），大量泥沙可通過深孔隨泄洪排出庫外，實現"排渾"；汛末10月，來水中含沙量降低，水庫蓄水至175米（正常蓄水位），實現"蓄清"。采用"蓄清排渾"運行方式，上游來水中的絕大部分泥沙可以排出庫外。因而，三峽水庫主體部分將不會形成大的淤積邊灘，絕大部分的水庫有效庫容將得以長期保留。根據水庫泥沙淤積數學模型系列計算成果，三峽水庫運行80～100年後，水庫將達到冲淤平衡狀態。屆時，水庫有效庫容仍可保持原有效庫容的86％～92％。

長江上游幹支流必將建成一批大型和巨型水庫，這些水庫的建成，以及正在加緊實施的長江上中游水土保持工程和長江防護林帶建設，都將減少三峽水庫的入庫泥沙量。

每年6～9月，長江行洪將帶走淤積在庫區的大量泥沙。

衝沙閘

戰爭威脅

　　三峽工程畢竟是一座裝着393億立方米水的大水庫，會不會因爲某種天災人禍發生潰壩意外？萬一發生戰爭，一旦大壩潰決會不會使下游發生洪水災害？三峽工程又是如何應對戰爭威脅？這是一個受到廣泛關注的問題。

　　第一，三峽工程擁有當今世界上泄洪能力最大的泄洪閘，如果長江上游出現特大洪水，對川江上游幹支流沿岸構成威脅，或者戰時有可能成爲敵國轟炸目標時，打開全部閘孔，即可迅速將水庫從高水位降到比較安全的低水位。第二，中國是一個熱愛和平的國家，會在全世界範圍内爭取和團結一切和平的力量，儘可能地避免戰爭發生。第三，現代戰爭發生總是有一定的徵兆，在戰爭即將來臨之前，可以預先將水庫的運行方式進行戰時調整，在最壞的情況下可以將水庫放空，變成徑流電站，這時，敵國想用潰壩的方式造成長江中下游洪災就無法實現了。第四，三峽大壩是一座堅固的鋼筋混凝土重力壩，經受得住常規武器的襲擊。在三峽工程設計時，已按照平時和戰時相結合的原則，采取了一些有利於提高大壩抗爆能力、減輕破壞程度的工程措施。第五，假如萬一有大壩遭受核武器襲擊而潰决的情況發生，對於這種情況，水利部和長江水利委員會曾進行過三峽大壩萬一受到核武器襲擊的潰壩水工模型試驗，並得出兩個規律性認識：其一，三鬥坪大壩至南津關之間有長20多公里的峽谷段，兩岸岩石陡峭，對潰壩水流有相當的約束作用，限制了潰泄流量，延緩了下泄時間；其二，潰壩水流總量僅爲水庫蓄水量，配合荆江等分蓄洪工程，可能造成荆州市以上的局部性災害，不會危及武漢。第六，我國的導彈防空技術是先進的，對於敵國發射的導彈，我們可以進行境外攔截，不讓敵導彈進入我國境内，萬一越過了國境，在腹地縱深地域内，還可以進行多層次的攔截，不讓敵導彈進入壩區是可以辦到的。

地質、地震

一、水庫誘發地震

自20世紀70年代起，三峽工程的水庫誘發地震一直被列爲重點課題進行研究。研究内容包括整理分析了全世界百餘個水庫誘發地震的實例，全面研究了三峽庫區的岩石特性、地質構造和滲透條件，在壩區和庫首進行了300～800米的深孔地應力等觀測，對壩區周圍幾條斷裂展佈區進行了地震强化觀測，進行了三維有限元等各種數值解析，對三峽水庫誘發地震進行了預測評價。基本結論是：從壩址至廟河長16公里的結晶岩低山丘陵庫段，岩體完整性好，歷史和現今有感地震活動稀少，蓄水後不排除發生淺源小震，最大震級預計不大於里氏4級；自廟河至白帝城長142公里的碳酸鹽峽谷庫段，可能發生岩溶性的水庫誘發地震，最大震級也不超過里氏4級；白帝城以上以砂岩、泥岩爲主的庫段，無大斷裂通過，岩體透水性弱，不具備發生水庫誘發地震的條件。

根據長期的地質勘測研究和水庫誘發地震研究成果，三峽壩區和庫區地殼穩定，均不孕育發生嚴重地震的地質背景。三峽水庫蓄水後，雖不排除發生水庫誘發地震的可能性，但從高估計，影響到壩區的最高地震烈度不會超過Ⅵ度，因此不會影響按Ⅶ度設防的主要建築物的安全。

二、庫岸穩定

20世紀50～70年代的三峽庫區工程地質勘測的結論是：水庫無滲漏和庫岸浸没問題，礦産淹没損失也甚微。1982年以後，由於三峽河段先後發生了雲陽雞扒子和秭歸新灘兩次大滑坡，三峽水庫岸坡穩定問題引起了人們的極大關注，隨後成爲庫區地質工作的重點。近些年，圍繞水庫岸坡穩定，科研人員開展了大規模的勘測和研究。

經對幹流及173條支流岸坡穩定性的專項調查，對航拍黑白片和彩紅外片的判譯和現場核對，對33個重點崩滑體的大比例尺地質測繪及相應的勘察、試驗和分析計算，得出了對三峽水庫庫岸穩定性的總體評價：三峽水庫庫岸主要由堅硬岩石構成，大的斷層不多。新構造運動和地震活動也不强烈，因而庫岸總體穩定性是好的。但三峽河段岸坡在長江河床下切的過程中，在高陡岸坡上發生一些崩塌和滑坡，屬於河流發育過程中的正常自然現象，歷史上曾有發生，水庫蓄水後也有可能繼續發生。經查明，庫區岸坡分佈有大於100萬立方米的大型崩滑，危岩體共284個，總體積約30億立方米。其中穩定性差和較差、蓄水後可能失穩的大型崩滑體共64個，體積3.4億立方米，即使全部失穩滑塌入水庫，對水庫庫容和壽命也無實質性的影響。距大壩26公里以内的庫段，不存在可能失穩的大型崩滑體，故可能發生的庫岸滑坡不會影響樞紐建築物的安全。三峽水庫蓄水後，由於水位擡高，水深加大，可能發生庫岸局部的滑坡和崩塌，不會影響航道通航。

水庫蓄水後，可能受庫岸局部滑塌影響較大的是庫岸上的新老城鎮和居民點。因此，應充分重視移民新城鎮和集中居民點選址的地質條件，同時應建立對可能失穩的滑坡體的監測和預報工作。

蓮子崖，三峽工程對蓮子崖危岩體進行了錨固。

三峽壩址中堡島爲堅硬的花崗岩體，是
修建高壩最理想的壩址。

從夢想到建成中的大事記

孫中山先生最早提出，改善川江航道並利用長江三峽水力發電的設想。1919年孫中山先生在《建國方略之二——實業計劃》中提出："自宜昌而上，入峽行，約一百公里而達四川之低地。改良此上游一段，當以水閘堰其水，使舟得溯流以行，而又可資其水力，其灘石應行炸開除去。於是水深十餘尺之航路，下起上海、漢口，上達重慶，可得而至。"1924年8月，孫中山先生在廣州國立高等師範學院作演講時又講道："像揚子江上游夔峽的水力，可以發生三千餘萬匹馬力的電力，像這樣大的電力，比現在各國所發生的電力都要大得多……"

國民黨政府時期的三峽夢：1932年10月，國民黨政府資源委員會組織了長江上游水力發電勘測隊，在三峽地區進行了兩個月的勘察和測量，1933年編寫了《揚子江上游水力發電勘測報告》，擬定了黃陵廟、葛洲壩兩處低壩方案，推薦在葛洲壩修水頭12.8米，裝機30萬千瓦的水電站，設有通航船閘。黃陵廟裝機50萬千瓦的水電站，設有通航船閘。1933年5月，國民黨政府交通部批復稱："所呈計劃尚屬詳明，應於存案備查。"

1944年，中國戰時生產局顧問（美國經濟學專家）潘綏寫出了《利用美國貸款籌建中國水力發電廠與清償貸款的方法》的報告。該報告設想：在三峽建設裝機容量1 050萬千瓦的水電站，利用所發廉價水電生產化肥出口美國，由美國提供大約9億美圓貸款，大約15年還清全部貸款。

1944年5月，國民黨資源委員會邀請美國墾務局設計總工程師、世界著名高壩專家薩凡奇博士來華，在中國工程師的陪同下，薩凡奇博士冒着日軍的炮火查看了三峽，隨後寫出了曾轟動世界的《揚子江三峽計劃的初步報告》。該計劃的壩址選在三峽出口南津關至石牌之間，最大壩高225米，水庫蓄水位200米，總裝機容量1 050萬千瓦，單機容量11萬千瓦。大壩設船閘通航建築物，設想萬噸輪船可直達重慶，還可攔蓄洪水。

1946年，薩凡奇博士再次來華復勘三峽壩區，美國墾務局同中國資源委員會還簽訂了由該局進行設計的技術合作協定，並先後派出54名中國工程技術人員去美國墾務局參加三峽工程設計、研究工作。薩凡奇博士曾說過："長江三峽的自然條件，在中國是唯一的，在世界上也不會有第二個。"當時由於國民黨一心要打內戰，於1947年5月，南京政府下文終止了三峽水力發電計劃。薩凡奇得到消息後老淚縱橫。在他晚年曾說過："三峽對於我，已是一個失落了的美好而又痛苦的夢。"薩凡奇方案儘管在選定壩址上存在嚴重缺陷（因為南津關一帶的母質岩層為石灰岩，不宜修高壩），但它是第一個比較具體的、可以充分利用三峽水力資源的方案。1974年周恩來總理曾公正地評價說："薩

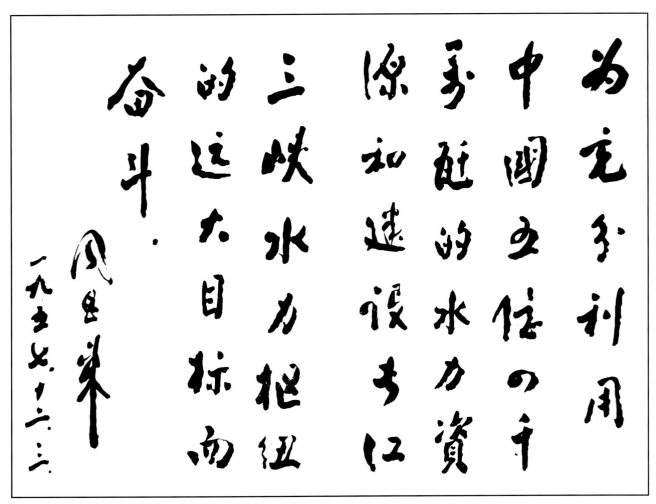

周恩來總理爲全國水電展覽題詞： 爲充分利用中國五億四千萬千瓦的水力資源和
建設長江三峽水力樞紐的遠大目標而奮鬥。1957年12月3日題。

凡奇雖然是一個美國人，但他又是一位偉大的科學家。薩凡奇衹搞了一個南津關壩區，可是他提出了問題，是有功的。" 1997年9月23日，在長江三峽工程大江截流前夕，三峽總公司、長江水利委員會和中央電視臺"三峽備忘録"攝製組曾派代表去美國丹佛市市郊的法萊蒙公墓，在薩凡奇博士的墓碑前敬獻了鮮花和一段三峽大壩的岩芯，以告慰薩凡奇博士的英靈。

新中國成立後，1950年2月就在武漢成立了長江水利委員會。

1953年，毛澤東主席在聽取長江幹流及主要支流修建水庫規劃的介紹時，指着地圖上的三峽説："費了那麼大的力量修支流，還達不到控制洪水的目的，爲什麼不在這個總口子上卡起來？" "先修那個三峽大壩怎麼樣？"

1954年9月長江水利委員會負責人林一山在《關於治江計劃基本方案的報告》中提出三峽壩址擬定在黄陵廟地區，蓄水位191.5米。

1956年7月，毛澤東寫下了"更立西江石壁，截斷巫山雲雨，高峽出平湖。神女應無恙，當驚世界殊"的著名詩句，描繪了三峽工程的宏偉藍圖。

1957年12月3日，周恩來總理參觀全國水利建設展覽時題詞："爲充分利用中國五億四千萬千瓦的水力資源和建設長江三峽水利樞紐的遠大目標而奮鬥。"

1958年1月中共中央南寧會議期間，主張先上三峽工程的林一山和反對先上三峽工程的李鋭當着毛澤東主席的面進行了針鋒相對的辯論，毛澤東主席在認真聽取了有關負責同志和水利專家對建設三峽的不同意見後，提出了"積極準備，充分可靠"的方針，並委托周總理

親自抓長江流域規劃和三峽工程建設。

1958年2月26日～3月5日，周恩來總理和副總理李富春、李先念並率中央有關部委、長江流域各省、市負責人和中蘇專家一百多人，隨行人員中還有林一山和李鋭，從武漢乘船實地查勘長江河勢、荆江大堤、三峽壩區和庫區。3月1日上午周總理考察南津關壩址（薩凡奇所定壩址）；3月1日下午登上中堡島考察三鬥坪壩址，在中堡島上當周總理看到一節節的岩芯樣本時，他取出一截長長的岩芯反復察看，愛不釋手，讚不絶口，説："這裏的地質條件真是不錯。可光我們説好還不行呀，能不能帶一截給毛主席看看，讓主席也高興高興才行呀！"他問旁邊的同志："能讓我帶走一截嗎？"在得到同意後，他按規定制度簽名帶了一段岩芯石回去給毛主席看。有關專家認爲在200公里三峽江段中，母質岩層幾乎全是石灰岩，惟有三鬥坪的20多公里江段母質岩層是花崗岩，是理想的高壩壩址。他們建議放弃南津關方案，重點考慮三鬥坪。一路上周總理除了實地考察，就是在船上召開會議，聽取中蘇專家彙報和帶領大家討論，並一再強調"敞開思路，各抒己見"。當船抵重慶後，周總理明確指示，將三峽工程壩址研究的重點從南津關轉到三鬥坪。這是壩址選擇中的一項關鍵決策。

1958年3月30日，毛主席乘江峽輪視察長江三峽。

1958年4月25日，中共中央成都會議通過了《中共中央關於三峽工程水利樞紐和長江流域規劃的意見》，這是中央關於三峽工程發出的第一個文件。意見中關於三峽工程的主要內容是："從國家長遠的經濟發展和技術條件兩個方面考慮，三峽水利樞紐是需要修建而且可能修建……現在應當采取積極準備和充分可靠的方針，

進行各項有關工作”，同時明確了三峽工程是長江流域規劃的主體。

成都會議後，國家成立了三峽科研領導小組，有200多個單位的近萬名科技人員參加了三峽工程的科研和設計工作。經過兩年多的艱苦工作和初步設計，選定了三鬥坪中堡島壩址；選定了大壩200米的正常蓄水位方案；初步確定了三峽工程第一批發電機組容量；組織了對三峽庫區淹沒指標的全面調查；

組織了對三峽水庫泥沙淤積的科學實驗……

由於1959～1961年，我國遇到了三年自然災害，蘇聯又粗暴地撤走了所有專家，於是原先準備在20世紀60年代初期開始興建的三峽工程被擱置了。

1970年，中央在研究了葛洲壩工程與三峽工程的關系後，於1970年12月26日批准先建作為三峽總體工程一部分的葛洲壩工程，並指出這是有計劃、有步驟地為建設三峽工程作實戰準備。葛洲壩工程1981年開始發電，1989年全部建成。葛洲壩的修建，不僅發出了大量的電力，顯著地改善了三峽下游河段的航道，而且在科學技術上取得了極大的成就。很多外國專家參觀葛洲壩之後說：“中國人能建成這個工程，就能建成世界上任何一個大工程，包括三峽工程在內。”

1984年4月國務院原則上批准了長江流域規劃辦公室組織編制的《三峽水利樞紐可行性研究報告》，初步確定了三峽工程蓄水位為150米的低壩方案，並決定在初步設計（包括工程概算）未批准前，在1984年、1985年兩年先進行部分施工前期準備工作，為爭取在1986年主體工程開工創造條件。

1984年底，重慶市委將《對長江三峽工程的一些看法和意見》上報中共中央，該意見認為三峽工程150米方案的回水末端恰恰在重慶以下180公里的河段，使重慶以下較長一段天然航道得不到改善，萬噸級船隊仍然難以直達重慶。意見認為正常蓄水位180米方案其投資、淹沒、移民比低方案雖然有一定的增加，但綜合效益大，又能基本解決川江航運。

1986年6月，中央發出了《中共中央、國務院關於長江三峽工程論證有關問題的通知》，責成水利電力部廣泛地組織各方面的專家，進一步論證修改原來的三峽工程可行性報告。要求在廣泛徵求意見、深入研究論證的基礎上，重新提出三峽工程可行性報告。根據中央的精神，水利電力部成立了以錢正英為組長的論證領導小組，並成立了14個專家組，進行了長達兩年八個月的論證。論證的結論是：三峽工程對四化建設是必要的，技術上是可行的，經濟上是合理的，建比不建好，早建比晚建有利；推薦的壩頂高程為185米和正常蓄水位為175

壇子嶺雕塑

米。推薦的建設方案是：一級開發、一次建成、分期蓄水、連續移民。

　　1992年4月3日，全國人民代表大會第七屆五次會議以1 767票讚成、177票反對、664票弃權、25人未按表決器，以讚成票佔67.1％ 通過了《關於興建長江三峽工程的決議》，並宣佈三峽工程結束論證轉入實施階段。

　　1993年三峽工程正式進入施工準備。

　　1994年12月14日正式開工。

　　1997年11月8日，三峽工程大江截流成功。

　　2003年初，三峽大壩雄姿初現。2003年6月1日三峽工程下閘蓄水，6月10日三峽水庫蓄水高程達到135米，實現了高峽出平湖的夢想。長江三峽從此發生了從河到湖的巨大變遷。6月16日三峽工程雙綫五級船閘試通航成功。6月24日三峽工程首臺機組——2號機組與華中電網並網調試取得成功。從此，長江之水流過三峽的時候，化作了巨大的電能，並且三峽水庫的水位每上升1米，大約可增加4億立方米的庫容，三峽電廠、葛洲壩電廠可多發出約1億千瓦時的電能。

三峡大坝基石

壇子嶺雕塑：雕塑的主要内容介紹了從大禹治水開始，數千年以來，中國人民在治理洪水、變水害爲水利的過程中，與大自然一直進行着不屈不撓的鬥争。

葛洲壩工程是三峽工程的組成部分

　　葛洲壩工程是三峽工程的重要組成部分，也是中國在萬里長江上修建的第一座水電站。壩址位於湖北省宜昌市，下距市中心4公里，上距三峽工程38公里。工程於1970年12月30日開工。1981年1月4日長江截流成功。1981年12月27日首臺發電機發電，1988年12月全部工程竣工。多年來，葛洲壩工程在通航、防洪、發電、旅遊等方面發揮了巨大的綜合效益。

　　長江衝出三峽南津關後，江面由300米驟然展寬到2 200多米，江水被江中名叫葛洲壩和西壩的兩個小島分成三股，從江南到江北分別爲大江、二江和三江。大江是主河流，二江和三江祇在洪水期過水。葛洲壩工程就在這裏截斷長江，大壩也因橫穿葛洲壩小島而得名。

　　葛洲壩工程規模宏偉，是世界上大型水電站之一。這項工程及永久設備全部由中國自行設計、施工、製造和安裝。工程主要由攔河大壩、三座船閘、兩座水力發

電廠、27孔泄洪閘、大江衝沙閘、三江衝沙閘等組成。大壩全長2 606.5米，壩頂高程70米，最大上下游水位落差27米，設計蓄水位66米，水庫庫容15.8億立方米。

　　葛洲壩船閘：葛洲壩一號船閘坐落在大江上，閘室有效尺寸爲280米（長）×34米（寬）×5.5米（欄上最小水深）；二號和三號船閘坐落在三江，二號船閘室有效尺寸爲280米（長）×34米（寬）×5米（欄上最小水深）；三號船閘室有效尺寸爲120米（長）×18米（寬）×3.5米（欄上最小水深）；一、二號船閘均是世界上目前最大的船閘，它可通過大型客貨輪和萬噸級船隊，下閘首人字門號稱天下第一門，單扇門葉寬19.7米，高34米，厚2.7米，重達600噸。萬噸級的船隊通過一號或者二號閘所需時間爲51～57分鐘。

　　葛洲壩水力發電廠：葛洲壩大江水力發電廠裝機14臺，單機容量12.5萬千瓦；二江水力發電廠裝機7臺，單機容量爲17萬千瓦的機組2臺，單機容量爲12.5萬千瓦的機組5臺。兩電廠共安裝21臺發電機，裝機總容量271.5萬千瓦。葛洲壩電站年平均發電量157億千瓦時，強大的電流通過多條22萬伏和50萬伏的高壓輸電綫路，源源不斷地送到大江南北、祖國各地。

　　泄洪閘和衝沙閘：葛洲壩大江修有27孔泄洪閘，最大泄水量爲83 900立方米每秒。衝沙閘分別修在大江和三江，其主要作用是引流拉沙，以保證航道暢通無阻。大江9孔衝沙閘，最大泄洪量爲20 000立方米每秒。三江6孔衝沙閘，最大泄洪量爲10 500立方米每秒。當泄洪閘和衝沙閘同時開啓時，可宣泄11萬立方米每秒的歷史上最大的洪水。1981年7月19日，葛洲壩經受了百年罕見的72 000立方米每秒的特大洪水考驗，大壩安然無恙。

　　葛洲壩工程是萬里長江第一壩，是三峽工程的航運梯級和反調節水庫，葛洲壩水電站和三峽水電站是一個有機的整體——三峽梯級水電站。它們在蓄水、泄洪、發電、航運實行梯級調度運行後，葛洲壩工程的發電能力又提高了40多萬千瓦。

葛洲壩小夜曲

葛 洲 壩 工 程 主 要 指 標

項　　目	單　　位	指　　標
壩上流域面積	km^2	100×10^4
設計蓄水位	m	66
壩頂高程	m	70
水庫總庫容	m^3	15.8×10^8
壩址多年平均流量	m^3/s	14 300
設計洪水流量（1788年歷史洪水）	m^3/s	86 000
校核洪水流量（1870年歷史洪水）	m^3/s	110 000
一號、二號船閘通過船隊噸位	t	$(1.2 \sim 1.6) \times 10^4$
三號船閘通過船隊噸位	t	0.3×10^4
電 站 總 裝 機 容 量	kW	271.5×10^4
多 年 平 均 發 電 量	kWh	160×10^8
27孔泄水閘最大泄洪流量	m^3/s	83 900
壩 軸 線 總 長	m	2 606.5
工程混凝土澆築總量	m^3	$1 113 \times 10^4$
工程土石方開挖回填總量	m^3	1.113×10^8
工程金屬結構安裝總量	t	7.75×10^4

單位：米

發電

通航（船閘）

葛洲坝泄洪

葛洲坝全景

三峽工程對生態的影響

三峽庫區有屬於國家保護的珍稀瀕危植物47種，但絕大多數分佈在高程300～1 200米範圍内，水庫淹没區内幾乎無原始植被，淹没損失不大。

庫區有國家一、二類重點保護的珍貴野生動物26種，但都分佈在高山偏僻地區，水庫淹没不會造成影響。國家已經確定在三峽庫區建立一系列的自然保護區，如天寶山森林公園、龍門河常綠闊葉林自然保護區、小三峽景觀生態自然保護區等，它們將對三峽水庫周圍陸上野生動、植物的保護起到促進作用。

三峽建庫對國家一級保護的珍稀水生生物中華鱘的洄游和棲息地有一定影響。中華鱘在葛洲壩水庫建成後，其洄游通道已被阻隔。1984年中華鱘的人工繁殖已經研究成功。21年來，每年都向壩下游投放數十萬尾人工繁殖的幼魚，同時還在葛洲壩下游發現新的中華鱘産卵區。中華鱘的研究和保護工作，包括人工繁殖和放養，以及新産區的保護，將繼續增加。

世界著名的珍稀瀕危動物白鰭豚的棲息地，在大壩下游百餘公里至長江口的江段，三峽建庫不會對它的生存造成威脅。但白鰭豚已被列爲世界級的珍稀瀕危動物，國家已經在中游的石首天鵝洲及下游的銅陵江段分別建立了白鰭豚自然保護區。長期的研究表明，三峽建壩，對揚子鱷、西伯利亞白鶴等珍稀瀕危物種的生存環境和棲息地没有影響。

桃花魚

娃娃魚（大鯢）

中華鱘：中華鱘體重達500多公斤，是地球上現存最古老的脊椎動物之一，古鱘化石出現在中生代白堊紀，距今約14 000萬年。它生在金沙江，長在大海。每年秋天，它逆水沿長江而上3 000多公里到金沙江產卵，然后又游回大海生長。

巴東木蓮：1907年英國皇家協會組織英、美、法等國聯合考察長江，首次在湖北巴東發現這種植物，從此聞名天下，被列爲珍稀瀕危植物，因僅發現3株，故被稱爲活化石。1986年郵電部發行了巴東木蓮紀念郵票和小型張各一枚。

銀杏樹是地球上現
存種子植物中最古
老的樹種之一。

猫頭鷹

神農架金絲猴

稊歸鳥

三峽猴群 ►

三峽庫區文物古迹保護

　　受三峽水庫淹沒影響的文物古迹有44處，其中涪陵白鶴梁水文題刻是全國一級重點保護文物，另有省級保護文物5處。三峽江段內其他著名文物遺迹，如奉節白帝城、豐都鬼城等均不受影響。受淹沒或受影響的歷史遺迹，如白鶴梁水文題刻、張飛廟、石寶寨、屈原祠等，將采取原地保護、易地複製等措施加以保護。淹沒區地下古墓葬，也將在普查的基礎上重點發掘。

　　伴隨着三峽工程而展開的有史以來規模最大的三峽庫區考古發掘工作，從1995年下半年開始到2003年三峽工程下閘蓄水，考古工作者在三峽庫區共完成勘探900餘萬平方米、發掘93萬多平方米的工作量，出土6 000餘件珍貴文物、6萬餘件一般文物。其中包括了60多處舊石器時代遺址，80多處新石器時代遺址，100多處古巴人遺址和墓地，470處漢朝至六朝的遺址，近300處祠堂、寺廟、民居、古橋梁等明清建築物，充分展示了長江文明在這裏留下了深厚積澱和不間斷的發展足迹，也佐證了長江流域同黃河流域一樣，是中華民族的發源地。

▶
大溪文化遺址

涪陵白鶴梁水文題刻

　　白鶴梁題刻是三峽庫區地面文物保護工作中最大也是最重要的一個項目。制定保護規劃前它就已經是國家一級保護文物。白鶴梁位於重慶的涪陵市，在涪陵城北長江與烏江匯合口上游1公里處長江中心，有一座巨大的岩石順江擺佈，長1 600米，寬15～20米，以14.5度向江心傾斜，三峽工程蓄水前，它的梁脊祇比多年平均水位高出2米。因此，常年淹於水下，祇有在長江枯水年份的最低水位時，它的脊背才能露出水面。由於白鶴梁露出水面的機會太少，一旦露出，古人視爲吉祥的徵兆，故有"石魚出水兆豐年"之説。

　　白鶴梁題刻始於唐廣德元年（公元763年），已發現題刻有165段，其中唐代1段、宋代98段、元代5段、明代16段、清代24段、近代14段、年代不詳者7段。文字內容3萬餘字，隸、行、草、楷書皆備，虞、褚、顏、柳、歐並存，題刻精工，文詞優美；在白鶴梁題刻中有雕刻精細的石魚14尾，除一尾石魚爲立體浮雕外，其他均是綫雕，大的有1.5米，小的祇有0.3米，現在還能見到清晰的綫刻雙魚。這是唐代所設的枯水位標記。其下方另外兩尾是清代康熙二十四年（公元1685年）所刻，經實測其魚腹平均高度爲137.9米，與現今涪陵水位站選用的水尺零點十分接近，具有現代水文標尺的作用。白鶴梁首創富有特色的"石魚"水標記載了1 200多年的長江上游地區枯水年份的水位情況，因此被譽爲"長江最古老的水文站"、"長江水文資料的寶庫"、"世界水文史上的奇迹"。1974年聯合國教科文組織召開的國際水文學學術會議上，對我國古代人民的這一創造，給予了很高的評價。

　　三峽水庫正常蓄水位175米，白鶴梁被淹的最大水深達38米，每年汛期三峽水庫水位降到145米時，白鶴梁還被淹没8米左右。因此，白鶴梁將常年被淹没。據

初步估算，水庫運行20年後，白鶴梁將埋在淤沙之下。爲了保護白鶴梁，專家們提出了多種方案，經反復論證、修訂，最後采納了以"無壓容器"水下原址保護的方案。這個方案的原理是在白鶴梁題刻密集區建設水下保護構築物，通過濾化裝置向構築物內供水，使其內外水壓達到動態平衡，同時在構築物中修建一條密封參觀廊道，並鋪設交通廊道連接地面，便於遊人參觀還能通過光電技術進行實時直播，或讓遊客穿上潛水服潛入水下近距離觀看題刻。

文物保護專家對無壓容器的評價是：它完全符合國際上公認的文物保護準則，儘最大可能地保護了文物與它所在的環境，白鶴梁水下博物館作爲世界上第一個水下博物館將成爲人類保護歷史文化遺產的典範工程，建成後將申報列入世界文化遺産名錄。因爲世界上還沒有一個國家能像我們這樣對待水利工程中的文化遺産。白鶴梁將成爲涪陵市的一大標志性景觀，還將帶來顯著的旅遊效益。

涪陵白鶴梁

丰都鬼城

豐都位於涪陵市下游52公里的長江北岸，是歷史悠久的鬼城。豐都爲什麼叫鬼城，原來是古書上的一處筆誤造成的。相傳漢代有兩人，一個叫"陰長生"，一個叫"王方平"，他們都隱居在豐都東北角的平都山上修道成仙。到了唐代，有人誤將"陰"和"王"兩人的姓連爲"陰王"，就說平都山上住着"陰王"，鬼城之説由此開始。唐代以後，豐都陸續修建70多座寺廟。大都跟鬼有關，有陰陽界、奈何橋、望鄉台、玉皇殿、雲霄殿等，總稱爲陰曹地府。廟宇裏的塑像，神鬼各別，惟妙惟肖、栩栩如生。豐都因此成了有名的佛教聖地，平都山也因蘇軾的"平都天下古名山"之句改稱名山。

民間早有流傳"人死到豐都，惡鬼下地獄"，就是説人死後靈魂到豐都的"陰曹地府"報到，接受陰天子的發落，並根據其在人間的善惡安排"來世"。生前行善者轉超陽世，生前行惡者打入十八層地獄。"奈何橋"是三組石拱橋並列相連，橋下有一池名曰"血河池"，傳説這"奈何橋"是人死後陰魂到豐都進入鬼國的第一道關卡，祇有在生前行善積德的才能順利通過此橋，否則必然掉進"血河池"裏被蟲蛇分食。

自古以來，不知有多少達官貴人、文人墨客前來燒香拜神，觀景攬勝，留下了層層足迹和墨寶。唐代詩人李白也曾賦詩説："下笑世上士，沉魂北豐都。"這都給鬼城增加了神秘的色彩。豐都鬼城作爲名勝古迹來觀賞是其他寺廟所不能代替的。

豐都鬼文化和美麗的風光早已名揚中外。近年來鬼城加快了現代化建設，不僅在名山上修了索道，而且也修了鬼國神宮和號稱世界之最的鬼王石刻，其鬼王舌頭長達81米，這都給鬼城增添了新的景觀。在每年的農曆三月三日，豐都名山都舉辦鬼節，鬼節時人們戴着各種鬼樣的面具，走上大街，文藝演出一連幾日，市場上商品買賣交易熱鬧空前。現在豐都作爲三峽旅遊在綫著名景點，每年都有幾十萬來自世界各地的遊客參觀。

三峽水庫正常蓄水位175米，淹没到名山脚下，山下"鬼城"的大門處地面高程爲155米，故其大門搬遷重建，山上的"陰曹地府"都不會受任何影響。名山下的豐都老縣城，因淹没而搬遷到江南岸，名山成了湖中一大島嶼。

豊都鬼城

◄

鬼城城標

层楼飞阁石宝寨

三峡水庫正常蓄水175米時，石寶寨是一座江中孤島，像一個鑲嵌在烟波蕩漾的湖中盆景。

石寶寨位於重慶市忠縣境内的長江北岸，是世界八大奇異建築之一，被中外遊客喻爲"江上明珠"。它孤峰拔地，四壁如削，形如長方形的玉印置於江邊，故名"玉印山"。清人張問陶有"子子玉印山，屹立江水東。天作百丈臺，秀削疑人工"的詩，形象地描繪了石寶寨外觀的壯麗。

忠縣石寶寨

相傳在明代嘉靖二十四年（1545年），有一批能工巧匠，在玉印山前研究如何取代前人的鑿石穿孔，將鐵索貫於石壁而攀登上山的方法，並利用這玉印山的山勢造一座奇異的建築物。工匠們日夜觀察地勢，商討辦法，但没有一個滿意的。有一天，他們忽見一雄鷹繞玉印山展翅盤旋，層層旋起，越過山巔，飛向高空，因而來了靈感，提出了大家都滿意的依山而建的方案。石寶寨在明代已初具規模，到了清代康熙、乾隆年間，又進行了擴建，真是錦上添花，比最初的建築顯得更加秀麗了。石寶寨共12層，高56米。依山取勢，層層亭閣，疊連而上，達於山巔。整個建築一個釘子都不用，全部結構都是木與木接，木石相銜，佈局巧妙。古人巧奪天工的構思與大自然的造化融爲一體，構成了石寶寨的統一格局。

遠望石寶寨，疊疊重樓，插入天際，雲烟繚繞，孤峰卓立，奇麗嫵媚，如幻如畫。走進石寶寨，首先見到的是寨門上高懸"梯雲直上"的匾額，還有一首詩爲"四面無路可攀援，層樓飛閣梯雲上"。進入寨門，沿着寨樓内的梯子拾級而上，你會發現，每層樓閣内都留有觀景的窗口，走出十層寨樓，便是寨頂的宫殿建築群。在寨樓和寨頂的古刹中，你可以看到以泥塑、詩畫、碑刻爲形式向人們展示的忠縣的歷史人物。供奉的有巴曼子、張飛、秦良玉等歷史人物。登上寨頂，遥望群山鬱鬱葱葱，俯瞰長江百舸争流，江山勝景，美不勝收，真讓人感到："不是巴山一席雨，忘却舉步離寨去。"

2009年以後，三峽工程正常蓄水位175米，石寶寨寨門石階頂面高程173.5米,淹沒水深僅1.5米。但是石寶寨所依附的玉印山的天然地下水位原來在148～158米高程，玉印山下部有7～15米的基岩處於天然水位以上；由於三峽工程正常蓄水位175米，它的地下水位也至少上升到175米高程，爲防止玉印山的基岩被水浸泡後産生軟化、崩潰而使玉印山變形和危及上部古建築的安全，對石寶寨的文物保護不僅要保護好古建築，而且要保護好玉印山及其自然風貌。保護方案是沿着石寶寨周圍修一道混凝土圍堤，這圍堤像是一個巨大的石盆，把石寶寨連同它依附的玉印山全部圍在中間。爲了不影響遊客欣賞石寶寨全景，在寨門前的圍堤上留下一道長50米的豁口，在豁口處安裝一道可以開關的鋼閘門。在三峽水庫175米水位運行時，關閉鋼閘門保護石寶寨；在水庫145米水位運行時，打開鋼閘門，遊客便可通過豁口觀看全景。

忠縣石寶寨

巴蜀胜境张飞庙

　　張飛廟是三峽水庫中搬遷最遠的文物保護專案。原址位於雲陽老縣城長江南岸的飛鳳山北麓，總建築面積約2 000平方米，主要建築物有正殿、旁殿、結義樓、望雲軒、助風閣、杜鵑亭、得月亭等。始建於1 700年前。當地有一個流傳久遠的故事，説是張飛閬中遇害，叛將范疆、張達攜張飛頭顱到東吳邀功，行至雲陽，聽説吳蜀議和，於是將張飛首級拋到江中，逃奔他鄉。當日，有個老漁翁在銅鑼渡口撈起一個人頭，以爲是不祥之兆，拋回江中，不料那人頭老在船邊迴旋。晚上，老漁翁夢見張飛跪在他面前，淚痕滿面説："我立志匡扶漢室，與東吳誓不兩立，豈能抱着遺恨去見東吳人呢！請你將我的頭顱撈起，埋在蜀國的土地上。"老漁翁驚醒，忙打撈起張飛頭顱，含淚安葬於渡口側畔的飛鳳山麓，當地人爲了紀念張飛的功績，於是就修廟祭祀。

　　在張飛廟前臨江石壁上，刻有晚清書法名家彭聚星所書"江上風清"四個大字。杜甫於公元765年來雲陽旅居兩年，留詩30餘首，其中就有《吟杜鵑》詩。助風閣年代久遠，爲公元850年前宋代所建。現存的張飛廟是宋、明、清代的建築，占地150多平方米，集宋以後歷代建築藝術之長，對研究我國古代建築頗有價值。張飛廟內碑刻書畫豐富，素有"文藻勝地"之稱和"文絶世、書法絶世、雕刻絶世"三絶之譽。廟內現存石碑臨崖石刻等360餘件，木刻書畫217幅。"梁天監十三年鄱陽王益州軍府率五萬人過此"碑記，距今1 500餘年，

書法質樸，爲存世之珍品。漢隸《張表碑》、顏真卿書信稿、黃庭堅《幽蘭賦》、蘇東坡《赤壁賦》等石刻、木刻、書畫、書法，技藝精湛，琳琅滿目，叫人讚嘆不絶。除碑刻之外，廟中尚有西周編鐘，東周銅劍，漢代車馬磚、牢城磚以及新石器時代以來的石、陶、銅、鐵、瓷、木刻、玉雕等各種文物350餘件，其中不少是具有歷史價值及工藝價值之瑰寶。廟中石壁上還有清同治庚午年的洪水位石刻。廟東側的江濱龍脊石上，有北宋元祐三年以來的石刻題記170餘處，是十分重要的長江水文資料。

　　老張飛廟建築群高程在130~160米之間，三峽水庫蓄水達175米，所以在2003年三峽工程下閘蓄水以前文物部門對其進行了搬遷。並按照整舊如舊的保護原則遷建，也就是儘可能地用張飛廟內取下來的原材料進行遷建。祇是原來的張飛像是泥塑像，新的張飛像是銅鑄的，高3.1米，重4噸，與原泥塑像相比"豹眼環睛"更顯威武，造價達30萬餘圓。雲陽縣城全部被淹沒了，新城遷建到了離舊城32公里的靠長江上游的地方。張飛廟也搬遷到新城江南岸的盤石鎮一帶，這個選址既保護了依山臨江的氣勢，又保持了與縣城隔江而望的人文環境。從保護張飛廟本身來説，也有利於安排原有的建築佈局，再現張飛廟與周圍環境融爲一體的風貌，因而也更符合文物的保護原則。

雲陽張飛廟

雲陽龍脊石

三峽工程對自然風光的影響

　　長江三峽全長193公里，以其"雄、奇、險、秀"的自然景觀和豐富的文化歷史遺迹而聞名世界。三峽工程蓄水後，三峽河段的自然景觀受到一定的影響。三峽兩岸山峰高程一般在800～1 000米，水庫最高蓄水位175米，壩前庫水位較天然水位最大**擡**高約110米，神女峰處**擡**高水位50多米，三峽峽谷入口處——瞿塘峽的夔門擡高水位40多米。主要是由於水位**擡**高，"峽感"減弱，淹沒了險灘暗礁，淹沒了水位綫下層層積纍的古文明足迹，流動的江水景觀消失，一個巨大的狹長湖泊代替了原來的河道。

　　然而，三峽成爲庫區，通航條件得到改善，平湖水伸向一條條支流峽谷深處，如大寧河小小三峽、神農溪、格子河石林、抱龍河等可以得到全面的開發；以前走盤山路才能到達的天坑地縫等許多景點如今蕩着小舟就能進入。三峽河段的一些著名風景區，大部分名勝古迹還是得到了保存，雄偉的三峽工程本身就是一個超級景觀。"高峽、平湖、三峽工程"形成了一個大三峽。沿長江從葛洲壩到三峽大壩，再向西至重慶，北到神農架，平湖的水伸向的地方都成了"大三峽"的範圍。三峽旅遊區必將成爲新的旅遊熱點。

本頁照片均爲清代末年（公元1911年）德國外交使節弗裏茨·魏司先生到四川成都上任，從宜昌乘木船往重慶，途經三峽所拍的部分照片。

瞿塘峽

瞿塘峽以其雄偉險峻而著稱。"峰與天關接，舟從地窟行"就是描寫瞿塘峽著名詩句。瞿塘峽是三峽中最短而又最雄偉的一個峽。它西起奉節白帝城，東到巫山縣大溪鎮，全長8公里。瞿塘峽入口的夔門，兩岸崖壁似刀劈斧削，夾江對峙，形似兩扇大門，把滾滾而下的長江逼成百餘米寬，當流量達到每秒5萬立方米以上，聚集起不可思議的力量，大有衝破夔門之勢。以前乘船經過此處時，就會驚心動魄，就能真正體驗到崖壁上的"夔門天下雄"題刻的意境。水庫蓄水後，夔門被淹沒40多米，瞿塘峽依舊雄偉，就是沒有那種驚心動魄的感覺罷了；瞿塘峽中的古棧道、鳳凰飲泉、倒吊和尚等都淹沒於水下。

夔門南岸絕壁叫"粉壁墻"，上方有一片摩崖題刻，粉壁墻長數百步、高數十米，上面大大小小刻滿了宋代以來的大量題詞。從船上看最醒目的便是"夔門"、"瞿塘"。題刻中最珍貴的是南宋的《宋中興聖德頌》，這塊題刻高約4米，寬近7米，上面刻了近千個大字，由於摩崖太高，要仰首凝望才能把題刻讀下來。古代雕工的勇敢和技藝真令人敬佩。"踏出夔巫，打走倭寇"，這是馮玉祥將軍抗戰初期的題刻。當時的國土大半淪陷，國民黨政府偏安西南一隅。讀此題刻，眼望夔門，祖國山河不容侵犯之感油然而生。

對粉壁墻上的摩崖題刻均采取了保護措施：首先對所有的題刻都做了拓片，依據拓片在下遊700米處海拔210米的崖壁上作爲新址，在新址處都進行了複製；一批最重要的被切割下來陳列在重慶三峽博物館，一批重要的被切割下來移往新址；還有一部分在原址封存保護。

瞿塘峽口的白帝城，是三峽著名的旅遊勝地，主要景觀在海拔230多米高的山頭上，水庫蓄水至175米高程後，白帝城成爲一個四面環水的江中小島。

▶

險峻的瞿塘峽

雄偉的瞿塘峽
▶

三峽石刻

夔門天下雄

巫 峡

巫峽，因巫山而得名，以幽深秀麗著稱。巫峽河段迂迴曲折，河長谷深，群峰競秀，重巒疊嶂。它西起重慶市巫山縣的大寧河口，東到巴東縣的官渡口，全長45公里。巫山十二峰充滿詩情畫意，巫山雲雨更是變幻無窮。

最負盛名的巫山神女峰海拔922米，三峽水庫最高蓄水位175米，水面上還有747米的山峰；小三峽是大寧河流經巫山縣大昌古鎮以後，穿過滴翠峽、巴霧峽、龍門峽三個峽谷的總稱，全長約50公里，那裏河道較窄，水淺流急，凡是遊過小三峽的人，無不稱讚小三峽風光綺麗，很多遊人認爲小三峽比大三峽美。20世紀80年代以後，小三峽曾成爲國內外遊人嚮往的旅遊勝地。小三峽因山巒不高，所以峽谷感覺明顯減弱。但因水位升高，大寧河支流馬渡河上景色更幽的小小三峽被送到了遊人面前。在巴東縣城對面的神農溪，發源於神農架，那裏植物茂盛、鳥語花香。原來神農溪深處水急灘險，峽谷幽深，極難深入，水漲之後，人們不但可以在神農溪上蕩舟體驗漂流的驚險，更能直接從三峽走水路深入神農架，探索原始森林的蠻荒。神女峰對面的神女溪，裏面的風光非常美麗，峽谷幽静，原始古樸，並充滿了神奇的傳説。巫山十二峰，還有三個峰就在神女溪裏。它們是起雲峰、上升峰和净壇峰。古詩曾説"小溪河畔訪净壇"，在以前很多人不畏艱險，沿着小溪走崎嶇的山路去看净壇峰，水位擡高後，遊人可直接乘遊艇進入神女溪探幽。

巫峽秋色 ▶

116

瞿塘峽中的古棧道,三峽古棧道長60餘公里,寬僅兩三米,高出江面幾十米,臨江凌空,走在古棧道上無不使人膽戰心驚。

縴夫石

►

黑黝黝的脊背,弦一樣的縴繩,一個個縴夫石,一道道縴痕,回蕩在峽谷中的船工號子,蜿蜒于絕壁之上的古棧道,無不訴說着古代峽江航運的艱難。

西陵峽

　　從湖北省秭歸縣的香溪口起，到宜昌市的南津關止，全長約76公里，是三峽中最長的一個峽。西陵峽以灘多水急著稱。"青灘、泄灘不是灘，崆嶺才是鬼門關"。如今的西陵峽，由於葛洲壩工程的建成，1981年後其水位較原始水位提高20餘米，淹沒了險灘暗礁，改善了航道。三峽水庫蓄水後，又將其上段水位提高100餘米。兵書寶劍峽受到一定的影響，兵書寶劍之謎破解，實爲懸棺，現在屈原祠內公開展出；牛肝馬肺峽中牛肝、馬肺的高度全被淹沒。牛肝馬肺被切割存放在秭歸新縣城。位於湖北省興山縣境内的高嵐風景區是一條狹長的山谷，山谷裏奔流着一條清澈的小溪叫香溪，兩邊是姿態萬千、挺拔秀麗的山峰，有小灘江之稱。以前由於交通條件限制，沒有多少人能够前往。大壩蓄水175米後，遊人可以從長江三峽乘船，從秭歸縣的香溪河口進入，到達高嵐風景區遊覽。

飛來廟

 西陵峽

空中看西陵峽
◀

新三峽依然美麗

　　高峽、平湖和三峽大壩總稱新三峽。三峽工程蓄水後的新三峽風光依然美麗。瞿塘峽、夔門的雄姿依舊，白帝城變爲湖中小島；畫廊般的巫峽，群峰競秀，雲霧繚繞，神女仍亭亭玉立在山峰之巔。西陵山水佳天下，宏偉的三峽工程壯中華。

西陵峽

蓄水后的三峡库区

蓄水后的瞿塘峡

瞿塘峽口的白帝城，是三峽著名的旅遊勝地，主要景觀在海拔230多米高的山頭上，庫水位到達175米後，白帝城成爲一個四面環水的江中小島。

白帝城門

觀星亭

劉備托孤堂

七道門

蓄水后的巫峡

空中看巫峡

三峡夜航

神女溪

神女峰近影

西陵峽口南津關是長江三峽的終點。這裏地勢險要、江面狹窄，素有〝雄當蜀道，巍巍荊門〞之說。江水至此，奪口而出，江面由300多米陡然增至2 200多米，變得平展而遼闊。

蓮沱三把刀

黃陵廟

三峽航運

天生橋
◄

宏伟的三峡工程

圖書在版編目（CIP）數據

宏偉的三峽工程：中文／李金龍主編. —鄭州：
黃河水利出版社,2012.4
ISBN　978-7-5509-0232-9
Ⅰ.①宏⋯ Ⅱ.①李⋯ Ⅲ.①三峽水利工程—介紹
Ⅳ.①TV632.71
中國版本圖書館CIP數據核字(2012)第066233號

責任編輯：裴　惠
責任校對：蘭文峽
責任監製：常紅昕
裝幀設計：李金龍　潘彬玲
攝　　影：王連生　王緒波　鄧忠富　何懷强
　　　　　陳　偉　李金龍　徐光萱　簡　易
篆　　刻：蔡静安
版　　畫：徐　水
中　　文：李金龍　李　彬

宏偉的三峽工程　　　李金龍主編

出版發行：黃河水利出版社
　　　　　地址：河南省鄭州市順河路黃委會綜合樓14層
　　　　　郵政編碼：450003
發行單位：黃河水利出版社
　　　　　發行部電話及傳真：0371-66022620
　　　　　E-mail：yrcp@public.zz.ha.cn
承印單位：中華商務聯合印刷(廣東)有限公司
設　　計：中華商務設計中心
開　　本：889mm×1194mm 1/20
印　　張：7
版　　次：2012年4月第1版
印　　次：2012年4月第1次印刷
書　　號：ISBN 978-7-5509-0232-9　　　定價：120.00圓